Für gute Freunde

Gedanken über die Freundschaft
ausgewählt von Jutta Metz

Fotokunst-Verlag Groh · Wörthsee bei München

ISBN 3-89008-565-2

Wörthsee bei München

Gute Freunde machen unser Leben reich,
viel mehr als alle materiellen Güter.
Was Freunde für uns bedeuten,
haben Dichter und Schriftsteller aller Zeiten
immer wieder in Worte zu fassen versucht.

Solche Worte sind hier gesammelt. Mit ihnen
möchte ich Dir sagen: Danke für Deine Freundschaft!
Sie macht mich glücklich. Ich wünsche mir,
daß sie Bestand hat, und ich wünsche Dir
alles Gute, Gesundheit und viel Freude!

*Die Welt ist so leer,
wenn man nur Berge, Flüsse
und Städte darin denkt;
aber hie und da jemand zu wissen,
der mit uns übereinstimmt,
mit dem wir auch stillschweigend fortleben,
das macht uns dieses Erdenrund
erst zu einem bewohnten Garten.*

Goethe

*Der Mensch lebt nicht vom Brot allein;
er bedarf auch der Bestätigung durch die Umwelt;
wird sie ihm nicht zuteil, so verkümmert er
inmitten des größten Reichtums
und bei blühender Gesundheit.*

Wladimir Lindenberg

*Man mag drei- oder viertausend Menschen
gekannt haben, man spricht immer nur
von sechs oder sieben.*

Elias Canetti

*Das schönste Denkmal,
das ein Mensch bekommen kann,
steht in den Herzen seiner Mitmenschen.*

Albert Schweitzer

*Freundschaft ist da, wo man stets
ein wenig Nachhausekommen findet.*
Peter Horton

*Ein Freund ist ein Mensch,
vor dem man laut denken kann.*
Ralph Waldo Emerson

Man kann die Menschen entbehren,
aber man bedarf eines Freundes.

aus China

Ein wahrer Freund
trägt mehr zu unserem Glück bei
als tausend Feinde zu unserem Unglück.

Marie von Ebner-Eschenbach

*Die Freundschaft ist eine Kunst der Distanz,
so wie die Liebe eine Kunst der Nähe ist.*

Sigmund Graff

*Das Schönste an einer Freundschaft
ist nicht die ausgestreckte Hand,
das freundliche Lächeln
oder der menschliche Kontakt,
sondern das erhebende Gefühl,
jemanden zu haben, der an einen glaubt
und einem sein Vertrauen schenkt.*

Ralph Waldo Emerson

*Jede Begegnung,
die unsere Seele berührt,
hinterläßt in uns eine Spur,
die nie ganz verweht.*

Lore-Lillian Boden

*Freunde sind Wegweiser
zum wahren Ich.*

Thomas Romanus

*Der wahre Freund ist der,
von dem man ohne Worte
verstanden wird.*

aus Flandern

*Ein Freund ist jemand,
der die Melodie deines Herzens hört
und sie dir vorsingt,
wenn du sie vergessen hast.*

Ein Freund ist jemand,
der dich mag, obwohl er dich kennt.

Die unbequemen Freunde
können die besten sein.

Ein wahrer Freund
ist ein Geschenk des Himmels.

Friedrich der Große

Der Mensch
gleicht einem kostbaren Instrument,
das nur im liebenden, behutsamen Umgang
zum Klingen gebracht werden kann.

Ottilia Maag

Daß Freundschaft entstehe,
dazu kann im Grunde niemand etwas tun.
Doch vieles hat zu geschehen,
um sie zu erhalten.

Albrecht Goes

Was dem Menschen not tut,
ist Verbindlichkeit.

Heinrich Böll

Freundschaft
ist nicht nur ein köstliches Geschenk,
sondern auch eine dauernde Aufgabe.

Ernst Zacharias

Das Sinnvolle
unseres Zusammenlebens ist,
einander zu helfen,
einander Freude zu machen.

Theodor Hieck

In all seiner eigenen Schwachheit
jemand Stärke geben, das ist
der Sinn des Lebens.

Dieter Letter

Der Strauß, den ich gepflücket,
Grüße dich viel tausendmal!
Ich habe mich oft gebücket,
Ach wohl eintausendmal,
Und ihn ans Herz gedrücket
Wie hunderttausendmal!

Goethe

*In jedermann ist etwas Kostbares,
das in keinem anderen ist.*

Martin Buber

*Vertrauen in einen Menschen
bringt das Beste in ihm ans Licht.*

Frederick W. Lewis

Vollkommene Freundschaft
beruht auf der Gewißheit
über den inneren Wert
des geliebten Menschen.

Franz von Sales

Um fremden Wert
willig und frei anzuerkennen,
muß man eigenen haben.

Schopenhauer

Zum Herzen
führen nicht große Straßen,
nur stille Wege.

aus der Türkei

Mit einem Freund an der Seite
ist kein Weg zu lang.

aus China

*Mitfreude, nicht Mitleiden
macht den Freund.*

Friedrich Nietzsche

*Freundschaft ist
Gefühl und Verständnis füreinander
und Hilfsbereitschaft in allen Lebenslagen.*

Cicero

Vieles kann der Mensch entbehren,
nur den Menschen nicht.

Ludwig Börne

Nur der ist hoher Freundschaft fähig,
der auch ohne sie
fertig zu werden vermag.

Ralph Waldo Emerson

In dieser wandelbaren Welt
ist es etwas Großes,
unwandelbare Freunde zu haben.
John Henry Newman

Dies über alles: sei dir selber treu;
und daraus folgt, so wie die Nacht dem Tage,
du kannst nicht falsch sein gegen irgendwen.
William Shakespeare

*Die Freundschaft fließt
aus vielen Quellen.*
Daniel Defoe

*Ein Du kann nur finden,
wer ein Ich verschenkt.*
Eberhard Müller

*Menschen zu finden,
die mit uns fühlen
und empfinden, ist wohl
das schönste Glück auf Erden.*

Carl Spitteler

*Nichts läßt die Erde so geräumig erscheinen,
als wenn man Freunde in der Ferne hat.*

Henry David Thoreau

*Einen wahren Freund
halte mit beiden Händen fest.*

aus Afrika

Wir danken den Autoren und Verlagen, die uns freundlicherweise die Genehmigung zum Abdruck von Texten erteilt haben.

Quellennachweis:
S.6: Wladimir Lindenberg, Mysterium der Begegnung, © 1964, 1979 by Ernst Reinhardt Verlag, München/Basel; S.8: Elias Canetti, Alle vergeudete Verehrung. Aufzeichnungen 1949-1960; © 1970 Carl Hanser Verlag, München/Wien; S.8: Albert Schweitzer, © C.H.Beck Verlag, München; S.24: Heinrich Böll, Brief an einen jungen Katholiken, © 1961, 1966, 1986 by Verlag Kiepenheuer & Witsch, Köln; S.30: Martin Buber, Der Weg des Menschen nach der chassidischen Lehre, © Verlag Lambert Schneider, Gerlingen, 11.Auflage 1994.

Bildnachweis
Titelbild: Alfons Meier; S.3: Sylvia Thamm; S.5: Reinhard Schäfer; S.7: Hubertus J.Eder; S.9: Paul Kleff; S.11:Hans Groh; S.13 und 15: Doris Klees-Jorde; S.17: Willi Rauch; S.19: Heinz Herfort; S.21: Adolf Roth; S.23: Elisabeth Fuchs-Hauffen; S.25: Manfred Rucksczio; S.27: Willi Rauch; S.29: Robert Spönlein; S.31: Maria Diewald; S.33: Peter Friebe; S.35: Ursula Schultz & Günter Kilian; S.37: Heinrich Hodel; S.39: Louis Bertrand; S.41: Bruno Schäfer; S.43: Eddi Böhnke; S.45: Frank Krahmer; S.47: Werner Weigl .

Trotz aller Bemühungen ist es uns nicht in allen Fällen gelungen, die Autoren bzw. Rechteinhaber ausfindig zu machen.Diese werden gebeten, sich an den Verlag zu wenden.